郑栗儿/著

邱千容/绘

大师密码 A-Z系列

大师密码O

头上长角的老虎

人民东方出版传媒
People's Oriental Publishing & Media
東方出版社
The Oriental Press

图书在版编目（CIP）数据

大师密码 . O, 头上长角的老虎 / 郑栗儿著；邱千容绘 . —北京：东方出版社，2015.11

ISBN 978-7-5060-8739-1

Ⅰ. ①大…　Ⅱ. ①郑… ②邱…　Ⅲ. ①儿童故事—作品集—中国—当代　Ⅳ. ①I287.5

中国版本图书馆 CIP 数据核字（2015）第 267095 号

大师密码 O：头上长角的老虎
（DASHI MIMA O: TOUSHANG ZHANGJIAO DE LAOHU）

作　　者：郑栗儿
绘　　者：邱千容
产品经理：张媛媛
责任编辑：张媛媛
出　　版：东方出版社
发　　行：人民东方出版传媒有限公司
地　　址：北京市东城区朝阳门内大街 166 号
邮政编码：100706
印　　刷：小森印刷（北京）有限公司
版　　次：2016 年 3 月第 1 版
印　　次：2016 年 3 月第 1 次印刷
印　　数：1—5 000 册
开　　本：720 毫米 ×950 毫米 1/16
印　　张：5.25
字　　数：51 千字
书　　号：ISBN 978-7-5060-8739-1
定　　价：18.00 元
发行电话：（010）64258117 64258115 64258112

目　录

出版前言

每个父母都希望孩子未来能出类拔萃，并在孩子的教育问题上倾尽心力。

许多孩子长大后成熟乐观，在社会上如鱼得水，但不少人成年后并不快乐。他们即使地位显赫、经济条件优越，依然郁郁寡欢。带来快乐的因素有很多，其中起决定作用的则是人格。面对同样的问题，不同的人格往往造就不同的结果。

怎样才能培养健全的人格？我们不妨到传统文化中去寻找答案。几千年来，儒、道、佛相得益彰，共同塑造着国人的精神世界。儒家关切社会的治理，道家关怀生命自然状态的保持，而佛家则关心人生痛苦的解除。故此，历史上就有“儒家治世、道家治身、佛家治心”的说法。

今天很多人习惯于将佛教简单理解为一种宗教，有的人甚至认为它是封建迷信。如果去掉宗教的外衣，它其实是一座充满智慧，兼具心理、品德教育功能的文化宝库。

为此，我们从台湾引进了这套“大师密码”A–Z 系列。这套书以 130 个佛教大师的成长故事，体现了 130 个美好的人格特质。沉着、孝顺、无畏、远见……从这些有趣的故事里，孩子们不但可以学会如何获得成功，更能明白如何倾听内心的声音，获得快乐。

这套书结构编排巧妙，集合了台湾优秀的作家及插画师。书中故事生动活泼，插画精美，在台湾广受好评，曾获得台湾“第 27 次中小学生优良课外读物推介”。相信它同样会得到大陆青少年朋友的喜爱。

推荐序

大师的密码　成功的特质

在我还是青少年时，就很喜欢阅读佛教大师的传记故事。可以说，我的人格就是从阅读大师的史传故事，点点滴滴建立起来的。

不论大人、小孩都喜欢读故事，法鼓文化历时两年的筹备，制作了这套有丰富精美插画的“大师密码”A–Z 系列。这套书中，选出 130 个“大师的美好特质”，一个特质就是一个大师故事，让孩子在趣味的故事中自然吸收大师的养分。

我曾指出佛教的高僧必须具有四大条件：持戒清净、修行精进、慈悲济众与护持佛法；如果转换成现代人的语汇，就是自律、认真、宽大、懂得回馈，而这些正是所有成功人士必备的条件。

很多家长以为孩子学佛会变得消极、不具竞争力；如果从大师的四大条件来看，这样的想法完全错误！孩子接触佛法绝对会更积极、健康，能为他们的一生奠定稳固的基础。

大师们的成就绝非偶然，也没有人一出生就是大师，父母应该提供这样的环境，让人格正在成长形塑中的孩子，吸收历代大师们的生命菁华，转化为他们自己的。我相信这一套“大师密码”A–Z 系列，能够成为孩子们成长的助缘！

聖嚴

台湾法鼓山禅修文教体系创办人

头上长角的老虎

大师密码 Originality 开创

传说唐末的延寿禅师只要一诵《法华经》，羊群都会自动跪下听讲。虽说这也许是后人附会，但是爱护动物的延寿，倒曾是为了拯救市场中待杀的动物，宁愿一死。

延寿自幼信佛，天资聪颖，十六岁时创作《齐天赋》献给吴越王，受到极大的赞赏。二十八岁担任库房官吏，负责处理军需。因为动用库钱购买动物放生，被处死罪，幸得吴越王赦免。后来他舍弃官位，在三十岁时剃度出家。

延寿在永明寺一住就是十五年，读诵多达一万三千部的大乘经典，后人称他为“永明延寿”。他既是禅门法眼宗第三代传人，同时也是净土宗六祖，一生力倡禅净双修为最理想的修行法门，还开启了佛门各宗合并修学的先锋！

小档案 延寿

- 国籍：中国
- 别称：智觉禅师、抱一子
- 专长：禅净双修
- 影响：调和宗派分歧
- 事迹：融合佛教各宗派，提倡禅净双修

市场里人声鼎沸，耳边不时传来鸡鸭的聒噪声，这些鸡鸭仿佛因即将被宰而恐惧地哭泣着。王冲元经过一个个摊贩，他才一转头，见前方又有一个鱼贩正在宰杀一条活蹦乱跳的鱼，王冲元赶紧闭上眼睛，为那鱼诵念《往生咒》❶。

❶《**往生咒**》：为佛教的咒语之一，常用于为临终者或亡者祈福前往佛国净土而诵。

王冲元是唐朝末年、五代十国时期吴越的税务官员，从小就天资过人，不但想法比别人快，看待事物也比别人更深刻。当他在余杭做管库房的官吏时，每一次去市场看见动物们被宰杀时的痛苦情形，心里就非常难过：“人这一辈子，为了贪图口腹之欲，宰杀这么多牲畜，真是可怜了这些小动物！”

于是，他开始把市场的动物买来放生❷，买到最后连自己的积蓄都花光了，不得已只好挪用公款，等下一次发薪时再补回去，可是买的动物愈来愈多，公款的缺空已经远远超过他的偿还能力。

❷ **放生**：解救被捕猎的鱼、鸟等禽畜，放回适合它们生存的环境。

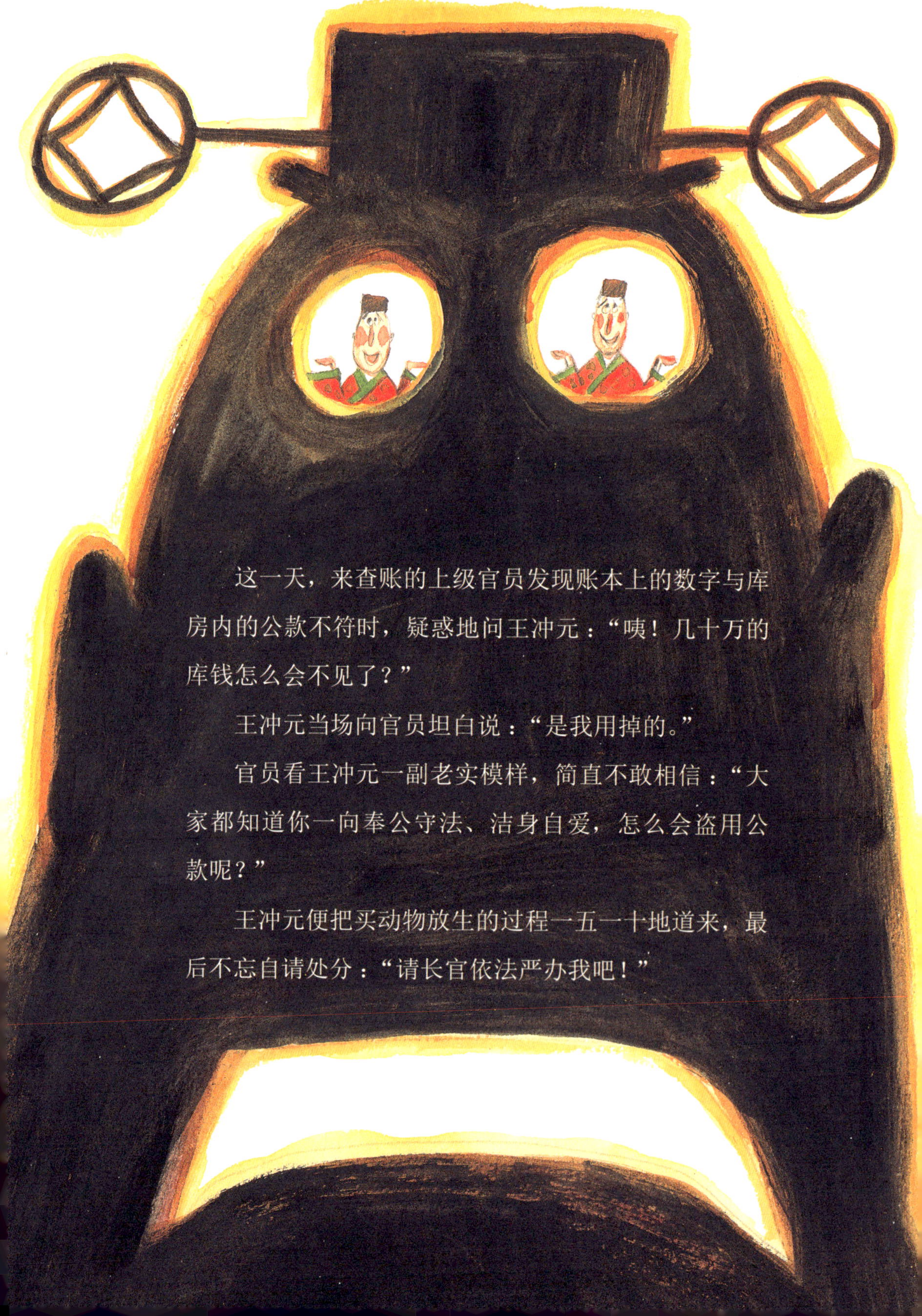

这一天，来查账的上级官员发现账本上的数字与库房内的公款不符时，疑惑地问王冲元：“咦！几十万的库钱怎么会不见了？”

王冲元当场向官员坦白说：“是我用掉的。”

官员看王冲元一副老实模样，简直不敢相信：“大家都知道你一向奉公守法、洁身自爱，怎么会盗用公款呢？”

王冲元便把买动物放生的过程一五一十地道来，最后不忘自请处分：“请长官依法严办我吧！”

上级官员摇摇头，尽管他内心非常同情王冲元的善心，但王冲元犯的是死罪，不得已只好把案子呈给吴越王判决。

吴越王听完这件事的来龙去脉后，笃信佛教的他，也不忍心因此而杀了王冲元，便说："这样吧！先判他死刑，如果他拿公款来做善事的话，临刑时一定是坦荡无畏的，如果表现出很害怕的样子，那就证明他真的是贪污犯，到时再把他杀了吧！"

当载着王冲元的囚车被推入斩首的刑场时，只见他神色自若地走到监斩官面前说："想到那些成千上万条的小生命，今日还能够快乐地活着，我就死而无憾了！"

监斩官明白王冲元确实问心无愧，并非为满足个人享受而私用公款，便把情况报告给吴越王，吴越王得知后，笑着说："王冲元为了拯救动物而情愿牺牲自己的生命，这是史无前例的，所以我也要破例赦免他的死罪。"

王冲元被无罪释放后，体会到人生无常，看破世事的他，觉得应该把握机会修行，于是便出家了，他的法名叫作“延寿”。后来延寿跟随德韶法师学习禅法，并且得到师父的认可，但延寿仍然照常用功，不时在国清寺修习为期二十一天的法华忏❸或念诵《法华经》❹。

有一次他在禅坐时，看见观音菩萨❺拿着一瓶甘露水❻灌入他的口中，说也奇怪，从此他的口才变得特别好，来听他说法的人常常忍不住赞叹说：“延寿师父，听你说法好像是被观音菩萨的甘露水净化了一样！”

❸ **法华忏**：为天台宗的重要忏法，用一套仪轨配合《法华经》的诵读，以忏悔罪障的修行方法。

❹ **《法华经》**：是自古以来流传最广的佛经之一，认为一切众生都能成佛。

❺ **观音菩萨**：是大慈大悲的菩萨，只要诵念观音菩萨的名号，菩萨就会寻声救苦救难，并帮助人们实现所祈求的愿望。

❻ **甘露水**：甘露为不死的神药，比喻佛法的法味与妙味有如甘露水般滋润人心。

另一个夜晚，延寿在室外经行，整个天台山都安静下来，沉入一片黑暗的空寂中，延寿一步步专心地走，忽然觉得手上好像握有一枝普贤菩萨❼的莲花，从此以后他的禅修功夫更加精进了。

两位菩萨为他加持，却让延寿内心困惑不已："过去中国的佛教法门中，各个宗派都有不同的修炼方式，像禅宗专修禅定❽功夫，以求开悟的智慧；净土宗则是一心诵念佛号❾，发愿往生西方净土❿。而我既得到禅宗的传承，现又有菩萨的点化，不知道以后修行的方向该往何方。"

延寿一时拿不定主意，便想："不如请佛菩萨为我决定吧！"

❼ **普贤菩萨**：为中国佛教四大菩萨之一，由于行愿广大，被尊称"大行普贤"。普贤菩萨骑六牙白象，手拿莲花，与文殊菩萨同为释迦如来左右胁侍。

❽ **禅定**：令人专注于某一对象，达到不散乱的状态。较深的禅定可以让身心安乐、寂静，并超越各种烦恼障碍。

❾ **佛号**：诸佛菩萨的名号，如"阿弥陀佛"。诵念佛号可帮助身心保持专注、稳定、清明。

❿ **西方净土**：指阿弥陀佛所创建的极乐世界。

他做了两支签，一支写着“一心禅观”，另一支写着“庄严净土”，趁天色微亮时爬上了山顶，面对着辽阔的天空说：“恭请佛菩萨指引！”

然后他把两支签丢在石头上，伸手抽出左边的那一支，打开来看，上面写着“庄严净土”。延寿心中一愣：“怎么会是这样呢？我明明是修禅宗法门的，难道是佛菩萨在跟我开玩笑？”

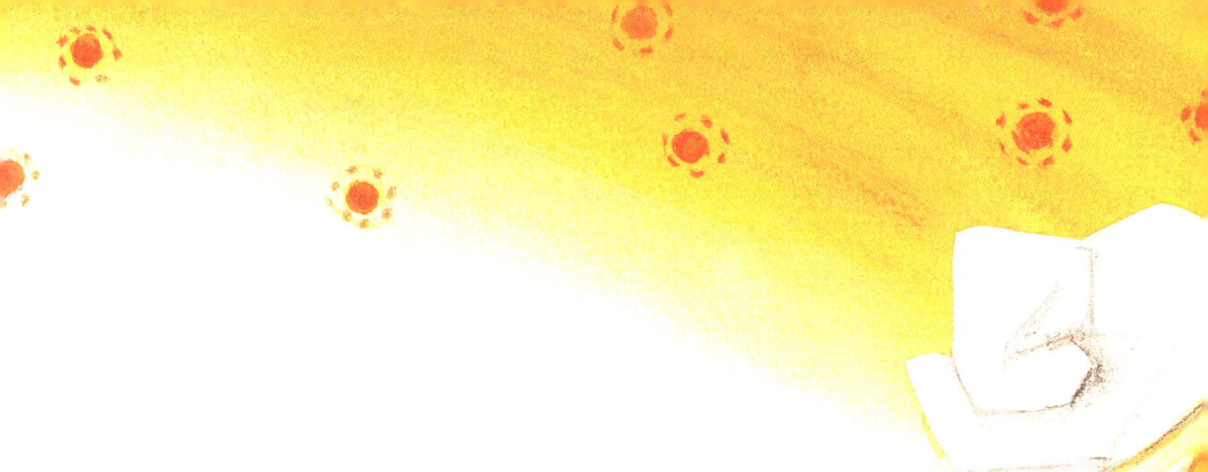

他再次虔诚地祈求：“佛菩萨，我可是认真的，这关于我以后的志向，您可别跟我开玩笑啊！”

接着他再抽了一次签，一看又是“庄严净土”，延寿这时有点信服了：“难道佛菩萨真的要我选择净土法门，不如我再多掷几次看看。”

结果，延寿共掷了七次，每一次都抽中“庄严净土”的签。

要一位已经得到高深禅定的和尚，改修净土法门，这在当时可以说是绝无仅有的，延寿明白佛菩萨要他这么做一定有道理，他认真想了想，面露欣悦地说：“我知道了！我虽已得到禅定功夫，但佛菩萨希望我再修净土法门，是要我提倡‘禅净双修’的法门，如此才能改造佛教，再创盛景。”从此延寿开始认真修行净土宗。

后来吴越王邀请延寿禅师到杭州主持灵隐寺的修复工作，来年又转往永明寺驻锡，延寿在这里一住就是十五年，前来向他学习的弟子达两千多人，延寿禅师规定大家每天一定要做一百零八件佛事，还要诵念十万声佛号，作为日常功课。

当时中国正处于分裂割据的局面，佛教渐渐从宫廷走入民间，成为老百姓的精神寄托，延寿禅师巧妙地将禅法和净土宗的修行方式结合在一起，为佛教徒打开方便之门，甚至使净土宗普及到每一个家庭，大街小巷早晚念佛声不断。

延寿禅师总是对弟子们一再叮嘱："你们要切记，如果只修禅法而不修净土宗，十个人去修，有九个人会误入歧途；只修净土宗不修禅法，则死后想往生西方极乐世界，也是不可能的。所以必须要将禅法和净土宗一起修行，这样就像勇猛的老虎，头上有利角，无往不胜，一定可以得到解脱。"

"禅净双修"这一佛教前所未有的修行法门，不但解决了延寿的困惑，也为以后的中国佛教开创出一个完全不同的新局面。

爱睡公子、洁癖公子和脏公子

大师密码

Observing 善于观察

印度的优婆鞠多以教导最多人悟道而闻名，他曾经找了一个长三丈六、宽二丈四的巨大石窟，每指导一位弟子证到阿罗汉果，就让弟子丢一根棍子到石窟内，最后整个石窟都塞满了棍子，可见在他门下悟道的人数有多少。

优婆鞠多原本在印度以卖香维生，后按照老师商那和修以白石代表善念、黑石代表恶念，每天算算看是善念多还是恶念多和教导作起。他从刚开始的一堆黑石到转为白石，身心逐渐清净，于是便追随商那和修学佛。

优婆鞠多是当时教授禅修的第一把交椅，任何古怪性格的弟子，他都有办法指点其悟道，大家公认他度化人的本领，几乎与佛陀一样，传说连来课堂捣蛋破坏的魔王，都被他驯服了！

小档案 优婆鞠多

- 国籍：印度
- 别称：无相好佛
- 专长：指导禅修、降魔
- 影响：继佛陀之后，化导最多人证阿罗汉果
- 事迹：观察到弟子们傲慢的心，帮助他们调心

印度有位优婆鞠多大师，以善于观察的独到眼光而著名，对于那些难教又难以管理的头痛人物，他都有办法改变他们的毛病，让他们脱胎换骨，得到开悟。

有一个爱睡公子，一天到晚都在睡觉。都已经日正当中了，嘴巴还张得大大的在打呼噜。好不容易等他睡醒了，一天的大好时光也过去了一大半，爱睡公子伸伸懒腰说：“睡得好舒服啊！真不想醒来！”

这么个爱睡懒觉的人，听说能帮人开启智慧的优婆鞠多大师前来传法，他竟然也心血来潮地跑去求教：“师父，听说您很会教佛法，跟随您出家的人都证得了阿罗汉果[1]，我也想试试。”

善于观察的优婆鞠多，一看他睡眼惺忪的样子，眼角还挂着眼屎，知道这人奇懒无比又爱睡觉，但优婆鞠多一句话也没说，就帮他剃度了。出家后的爱睡公子，仍不改老毛病，都没去上课，只顾着睡大觉，更别说是打坐了！

有一天，优婆鞠多大师把爱睡公子给摇醒说：“起床吧！跟我一起出来！”

爱睡公子迷迷糊糊地跟着师父走到了森林深处，打着呵欠问：“为什么要来这种偏僻的地方？”

优婆鞠多大师回答：“因为你要开始学静坐，这里不会有人打扰。”

❶ **阿罗汉果**：为佛教修行者断尽烦恼，超越生死轮回，所修行成的正果。

爱睡公子也无所谓，反正他无论走到哪里都可以睡，才盘腿坐下没有两分钟，就又鼾声连连了，连脚边滑走一条蛇，他都没感觉。优婆鞠多把蛇抓起来，倒挂在爱睡公子面前。

等爱睡公子睡醒了，睁眼一看，吓得大叫起来：“师父，有蛇啊！快来救我！”

优婆鞠多正站在他面前：“你不好好坐禅，却在那边哇哇大叫。”

爱睡公子喘着气说：“可是蛇好可怕啊！”

优婆鞠多却说：“那条蛇看起来虽然吓人，却没有睡觉来得可怕，你贪图一时的舒服，却阻碍了自己修行。这条蛇就算咬伤了你，也不过是这一世的肉身受害，倒是你一直睡下去，受害的可是无限的来世，你可能每一世都沉沦在睡梦中，永远没有觉醒的时候。”

爱睡公子低头认错：“师父，我知道该怎么做了，谢谢您。”

爱睡公子乖乖地坐回蛇的面前，全心打坐，因为这条蛇的缘故，他再也不敢贪睡了，而是专注修习禅定，果然有了很大进步。从此，爱睡公子就不叫爱睡公子了，每一次他都在蛇的旁边静坐，戒除了贪睡的坏习惯，不久就证得了阿罗汉果。

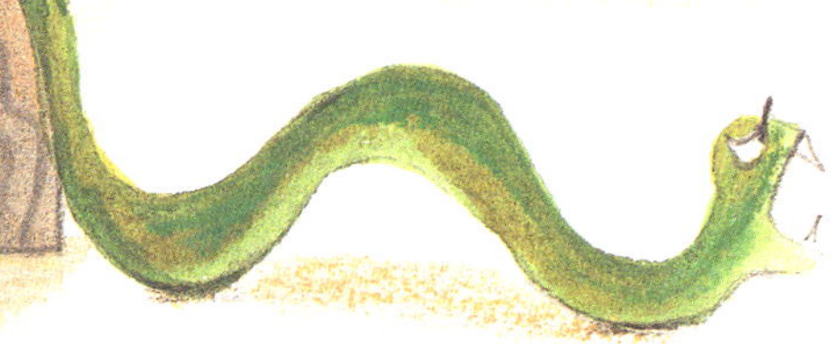

另一位洁癖公子学佛很多年了，但仍然没什么进展，他疑惑地自问：“奇怪，佛教最重视净化心灵，我每天洗澡都洗四五遍，还不够干净吗？任何不干净的地方，我一定给弄干净，这样还不够净化吗，怎么修行却没有进步呢？”

没错，洁癖公子真的太爱干净了，谁只要弄脏一点东西，马上就被他大骂一顿，而且一定要赶快擦干净。他尤其爱惜自己的身体，早上起床后要洗一次澡，吃完食物也要再冲一次，如果走路流汗，也要彻底洗一洗，晚上睡觉当然更不忘再沐浴一下。每次洗完澡后，他还要用香料好好地擦拭身体。就这样，洁癖公子一整天的时间都花在清洁上。

“听说优婆鞠多尊者很会教导弟子，我不如前去跟他求教，看他能不能帮我彻底净化。”于是他也跑去拜优婆鞠多为师。

善于观察的优婆鞠多，一看洁癖公子一副白白净净、养尊处优的模样，就知道他很爱惜自己的身体，但优婆鞠多还是爽快地答应了：“好啊！只要你肯听我的，我保证你没有问题。”

洁癖公子听了很高兴：“师父说的话，弟子当然会听！”

于是优婆鞠多一样把洁癖公子带到森林深处，使了障眼法变出一棵大树，要他爬到树顶，洁癖公子一脸勉强：“一定要爬树吗？那可是会弄脏我的身体呢！”

优婆鞠多说：“你不是说要听我的话吗？”

洁癖公子只好无奈地乖乖爬到树上。等爬到树顶，往下看时，不禁吓得满身是汗，因为树下的平地不知何时变成了万丈深渊，他整个人悬在树上，这时传来了优婆鞠多的声音：“现在把你的手松开！”

洁癖公子当然不肯了：“不行啊！手一松就摔死了！”

优婆鞠多又说：“你这么爱护身体，哪里有求道的决心？我已经跟你说过，要成道就得听我的，既然如此，你就一直挂在树上吧！”

洁癖公子迫不得已只好咬紧牙关，闭上眼睛，双手一松，往下一跳，结果竟然安全地落到地面，一点事也没有。原来，先前的万丈深渊是优婆鞠多变出来的，为的是教育他。洁癖公子冒着生命危险，克服了对身体的爱恋执着，终于开悟了！

不久，又有一位脏公子出现在优婆鞠多尊者面前，苦着脸抱怨：“我一心只想悟道，丢掉这副身体，所以刻苦修行，不在乎饮食好坏和外表美丑，为什么到现在还没得道呢？”

善于观察的优婆鞠多，看到脏公子瘦得像一根枯树枝，又闻到他身上散发出一股腐臭味，知道脏公子为了求道走偏了路，尊者笑笑回答：“那你就跟我来吧！我可以实现你的愿望。”

优婆鞠多领着脏公子来到澡堂，请人帮脏公子好好洗了个澡，脏公子连忙抓住身上的破衣服拒绝说：“不行！我不能贪图享受。”

优婆鞠多反问他：“你不是要成道吗？”

脏公子只好勉为其难地进去洗澡，待洗得干干净净后，优婆鞠多又摆满了一桌的佳肴，要脏公子坐下来用餐，脏公子再度拒绝：“不行！我不能受美食的诱惑！”

优婆鞠多说：“你不吃就没办法成道！”

脏公子一听，这才开始进食，吃完后整个人精神转好了，对于佛法也有了新的体会：“原来我以前的做法是虐待自己，身体被我搞坏了，根本没有体力与精神领悟佛法。”

这时，善于观察的印度大师笑了，他知道自己又度化了一位麻烦的弟子。

吃不完的烧饼

大师密码 Offer贡献

吃烧饼夹油条不稀奇，要吃烧饼夹佛法，那才够味！唐朝的崇信为报答道悟禅师借他地方住，让他可以安心卖烧饼，每天都预留十个烧饼送给道悟禅师，而道悟禅师总是将其中的一个送还给他，让崇信猜不透老禅师还他的烧饼里，暗藏着什么玄机。

崇信随着道悟禅师出家后，还是猜不出这个玄机。崇信虽不用卖烧饼，但每天还要煮饭给道悟禅师吃，让他觉得出不出家好像没什么两样，还怀疑道悟禅师偷留一手，不教他佛法。后来崇信才发现自己大错特错了，原来道悟禅师一直在点醒他，禅就在日常生活中。

崇信后来在龙潭禅院大弘禅法，德山宣鉴是他的得意弟子。向来自豪的德山宣鉴，经崇信点拨悟道后，索性一把火烧了自己的著作，可见得崇信的高明！

小档案 崇信

- 国籍：中国
- 别称：龙潭和尚
- 专长：禅修
- 影响：以禅法启发人心
- 事迹：以传扬禅法报答恩师道悟

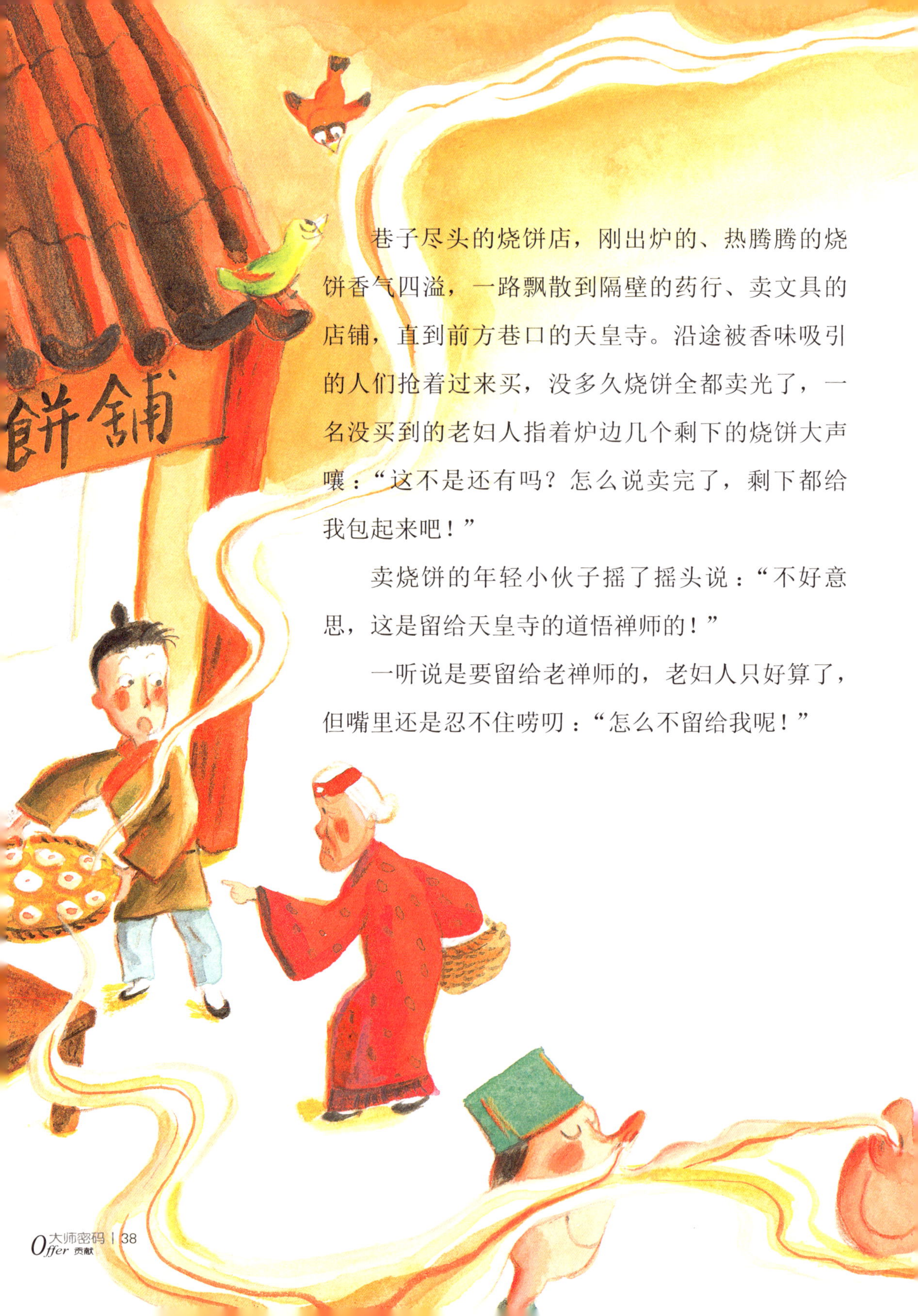

巷子尽头的烧饼店，刚出炉的、热腾腾的烧饼香气四溢，一路飘散到隔壁的药行、卖文具的店铺，直到前方巷口的天皇寺。沿途被香味吸引的人们抢着过来买，没多久烧饼全都卖光了，一名没买到的老妇人指着炉边几个剩下的烧饼大声嚷：“这不是还有吗？怎么说卖完了，剩下都给我包起来吧！”

卖烧饼的年轻小伙子摇了摇头说：“不好意思，这是留给天皇寺的道悟禅师的！”

一听说是要留给老禅师的，老妇人只好算了，但嘴里还是忍不住唠叨：“怎么不留给我呢！”

一旁的熟客替小伙子说话了：“这位店老板有慧根❶，懂得跟佛结缘，每天都要留几个烧饼给老禅师吃，人家这样做已经好一阵子了，是你不知道而已。”

“这我倒不知道，不过别人说那位道悟禅师高深莫测，我倒是知道的。”老妇人一时兴起，也说起老禅师来了。

这位卖烧饼的年轻老板自从继承做烧饼的家业后，每次见到附近天皇寺的道悟禅师经过，内心就很欢喜，暗自发愿只要他卖烧饼一天，就要供养❷禅师一天。

于是，每天中午他就会把当天刚出炉的十个热烧饼，送到天皇寺给道悟禅师；奇怪的是，每一次老禅师都只收下九个烧饼，然后把剩下的一个还给他，还跟他说：“我这个烧饼送给你，让你的福报❸增长，庇荫你的后代子孙。”

❶ **慧根**：表示一个人具有能够领悟佛法微妙精髓的智慧根器。

❷ **供养**：以恭敬的心，将食物、衣服、医药等物品供给、养护佛法僧三宝、师长、父母、亡者等。

❸ **福报**：因行善所得的福德果报。

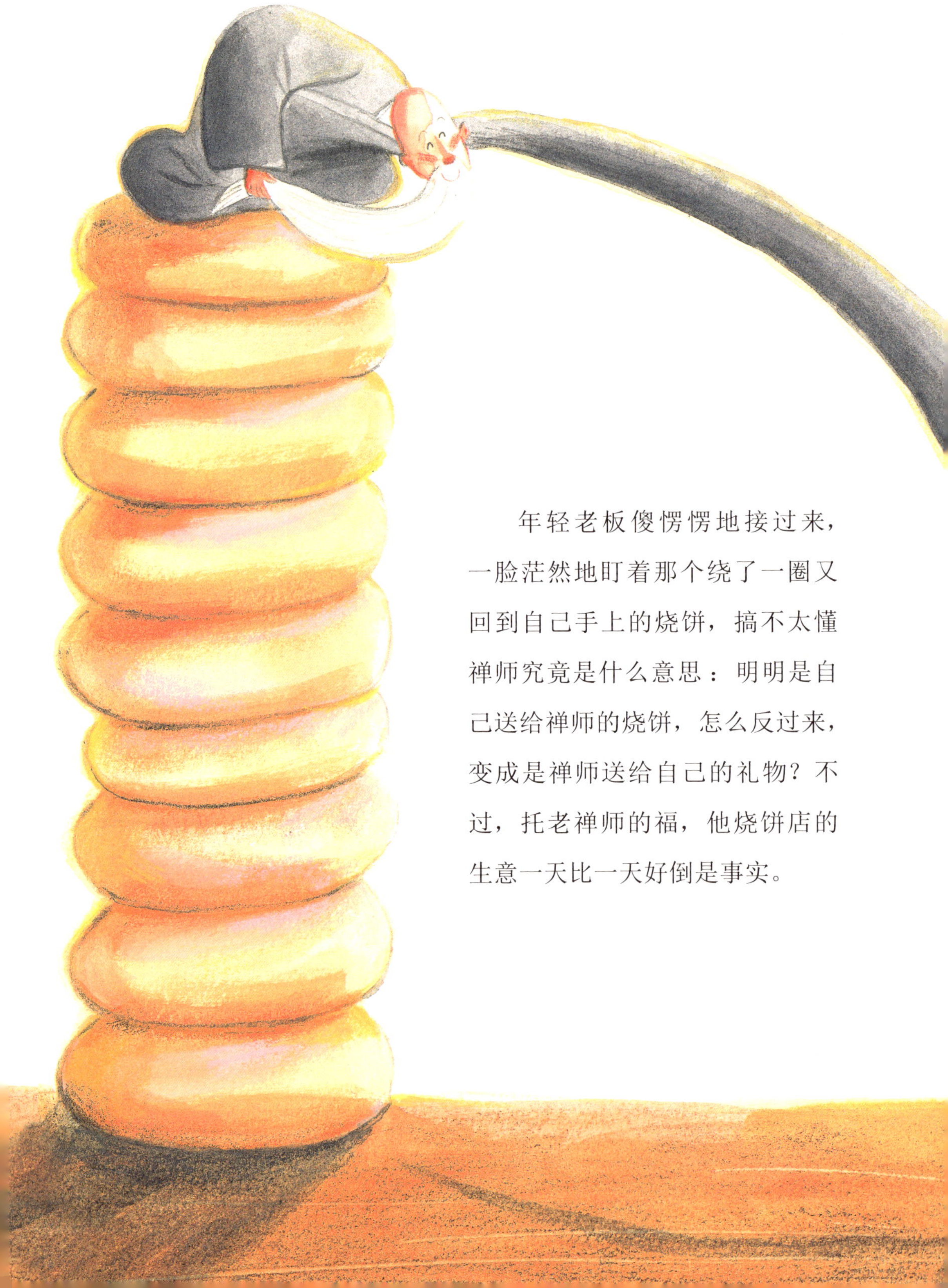

年轻老板傻愣愣地接过来，一脸茫然地盯着那个绕了一圈又回到自己手上的烧饼，搞不太懂禅师究竟是什么意思：明明是自己送给禅师的烧饼，怎么反过来，变成是禅师送给自己的礼物？不过，托老禅师的福，他烧饼店的生意一天比一天好倒是事实。

就这样送烧饼给老禅师也有一段时间了，这一天，憋了很久的年轻老板鼓起勇气问道悟禅师：“师父，这烧饼是我送给您的，可是您为什么每次都要还我一个呢？难道有别的含义吗？”

正在吃烧饼的道悟，擦擦嘴边的饼屑，回问他：“你每天送给我十个烧饼，我也可以送给你一个，这有什么错呢？”

年轻老板笑着说：“可是这明明是我给您的烧饼，怎么又变成是您送给我的呢？”

道悟禅师哈哈大笑起来，故意说：“你给我十个烧饼，我都不嫌多了，难道我给你一个烧饼，你嫌少吗？”

年轻老板听后还是不太明白老禅师的话中之意，这时老禅师又说："你何必在乎这烧饼是谁的？在这个世界上，有许多人总是一天到晚计算着'这个是我的、那个是你的'，要知道，这种分别心最容易让人陷入自私的烦恼。"

老禅师顿了一下，继续说："你给我十个烧饼，我还回你一个烧饼，就是告诉你，你的就是我的，我的就是你的，有烧饼就大家一起吃。"

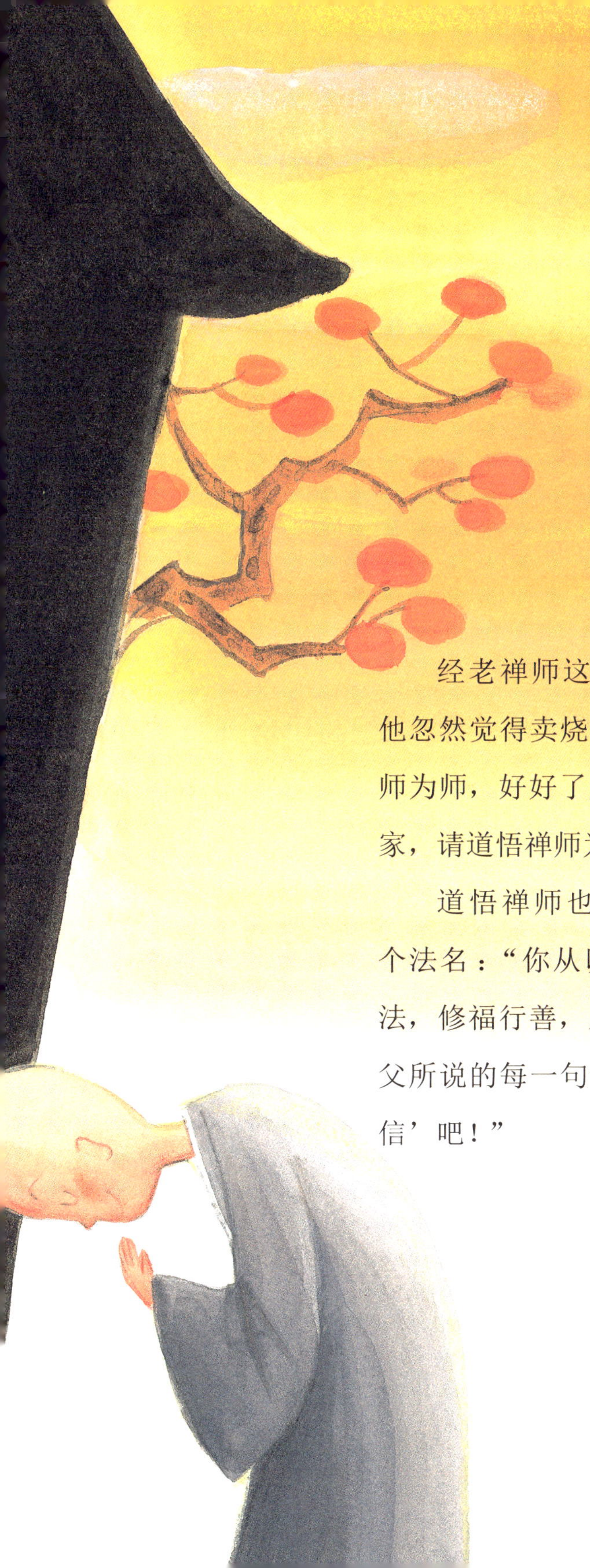

经老禅师这么一说，年轻老板略有所悟，他忽然觉得卖烧饼也没什么意思，不如拜老禅师为师，好好了解人生的真义，于是便决定出家，请道悟禅师为他剃度。

道悟禅师也欣然同意了，还为他取了一个法名：“你从以前就懂得供养三宝，崇敬佛法，修福行善，从现在起，你更要完全信服师父所说的每一句话，所以你的法名就叫作‘崇信’吧！”

出家后的崇信，不再忙着卖烧饼了，原以为出家后，老禅师会每天都跟他说一番大道理，制定一堆学佛的规则，教导他如何得道。可是，老禅师还是每天安静地吃饭打坐，好像什么事也烦不到他身上，唯一改变的是，他现在没有烧饼可以吃了，因为崇信不卖烧饼了。但他对吃什么好像也不在乎，崇信煮什么，他就吃什么，每一样菜到他嘴里，似乎都是很好吃的样子。

转眼几年过去了，一心追求佛法的崇信，渐渐地像是泄了气的皮球一样，愈来愈没劲，还不时地自叹说：“做师父的当然有责任要教导弟子，可是从我出家到现在，师父连一句佛法也没教过我，难道是嫌我没有天分吗？”

忍耐多时的崇信，终于忍不住了，在一天早上跟老禅师请安后，趁机抱怨道：“师父，您到底是不是我的师父？”

道悟禅师愣了一下，回说：“我怎么不是你的师父？”

崇信脱口而出说："既然您是我的师父，我侍奉您这么多年了，您怎么连半点佛法都没跟我说过？"

道悟禅师反驳说："你胡说！我不是常常指点你佛法的要点吗？"

崇信一听，心里更不平衡了："您哪里指点我要点了，我怎么都不知道？"

老禅师指着他的头说："你知道佛法是什么吗？从你来到现在，我哪里不曾指点过？你端茶来时，我就接茶，你捧饭来，我就接饭，你礼拜我时，我就低头，这不是佛法是什么？"

崇信一听，不禁低下头来思索师父究竟要说什么，道悟禅师这时又说：“如果你还要拐弯抹角想这么久，就不是真正了解佛法。”

崇信“哦”了一声，这才明白所有的问题都出在自己想太多了，佛法不是知识，而是生活中真实地活在每一刻。

这下崇信总算明白师父对他的良苦用心了，他的眼泪都快掉下来了：“师父，您真的对我教导良多。”

道悟禅师看了他一眼：“别客气，我对你的心意，就是你对我的心意！”

只把坏蛋留下来

大师密码

Open-minded 开放的心

生于日本江户时代的盘珪，父亲早逝，他由母亲带大，是村里喜欢带头捣蛋的孩子王，从不服输的个性，每场比赛都非要赢不可。谁都拿好强的他没辙，哥哥却偏要对书法没兴趣的盘珪去佛寺练字，小盘珪想逃学不是办法，干脆吃毒蜘蛛自杀吧，还好后来他身体没事。

虽然顽皮，但是盘珪对探索生命却有着惊人的毅力，可以一连七天不吃不喝苦思到底。十六岁时，盘珪随教法森严的云浦出家学禅。他还到桥下当乞丐磨炼心性，他虽性格刚强，待人却极为宽厚，曾被误会偷钱而遭痛打，恢复清白后却一点儿也不怪罪对方。

二十六岁那年，不眠不休刻苦禅坐的盘珪，在吐血病倒的险境中，反而体会出“不生禅”的妙意悟道，从此改变了他的人生，以“不生禅”的智慧引领日本新禅风。

小档案 盘珪

- 国籍：日本
- 别称：佛智弘济禅师
- 专长：禅法
- 影响：主张“不生禅”
- 事迹：以开放的心包容挑衅的人

有一家和子屋生意特别好，每天都有人排着长长的队等着买糕点，这天也不例外，人群中还夹杂着一个和尚，人们都说糕点好吃到连出家人也来买了。

要应付这么多客人，伙计不免手忙脚乱，这时等着找钱的客人忽然发现刚买的糕点竟然不翼而飞了，急得他回头一瞧，看见那位和尚正挤出人墙，拎走自己的糕点，客人赶忙大喊一声："那个和尚是小偷，快抓住他！"

众人当场就把和尚给逮着了，其中一人认出了他："咦！这不是盘珪禅师的弟子吗？"和尚跪在地上，头低低的，不敢吭声。

被偷的客人一向都很敬重盘珪禅师，便说："那好吧！把他押到禅师那里，他老人家要怎么办，我就怎么办。"

原本正在专心打坐的盘珪禅师，被寺外传进来的喧哗声给打断了，大家你一言我一语要他评理："师父，您的徒儿偷了人家糕点，您说怎么办？"

盘珪禅师还没开口，其他弟子们一看到窃贼，个个气得脸红脖子粗："你又去偷了？"

所有人一听，嘘声连连："原来不是第一次了！真是丢他师父的脸。"

大弟子出面打圆场说：“各位，国有国法，家有家规，请把他交给我们处理吧！我师父一定会给大家一个交代。”

被偷的客人爽快地答应了：“反正我的糕点也拿回来了，这个小偷就交给师父惩罚了，我们走吧！”

众人一哄而散后，盘珪禅师好像没事一般，又开始打坐，大弟子一看师父这种置身事外的样子，忍不住大声地说：“师父，前两天他偷香火钱，您就说给他一个改过的机会，现在他又跑去偷人家的糕点，根本就是恶习难改。这一次您一定要重罚他，把他逐出师门，否则我们大家都没办法再待下去了，如果他不走，我们就走！”

始终沉默的盘珪禅师总算开口了：“那你们走吧！”

师父宁可要那个窃贼而不要他们，所有弟子心头都是一惊，又是委屈，又是不满地大声喊着：“师父，您怎么这样！”

盘珪禅师心平气和地回答："你们都是有智慧的出家人，懂得许多道理，也能够明辨是非，你们离开我，不论去哪里都可以好好生活，别人也会接受你们、尊敬你们。可是他连是非都分不清，也不知道自己的人生目标，根本就是一个沉睡的人，如果我不理他，岂不是把他推到黑暗里，让他彻底堕落了吗？"

停了片刻，盘珪禅师缓缓又说："我们对待众生一定要有平等开放的心，所以我要把他留在身边，直到唤醒他的良知为止。你们要走就走吧！"

盘珪禅师这一番话，让众僧哑口无言了，这时跪在地上的窃贼和尚突然号啕大哭起来："师父，我知道错了，我一定会改过向善，请大家原谅！"

这个窃贼和尚被师父的仁慈感动了，日后果然洗心革面，不再偷窃，而盘珪禅师宽大的心胸、慈悲感化的风范更是远近闻名，吸引了更多人来向他学法。

一天，一位陌生的外地僧人不远千里来求见盘珪禅师，只见他在寺院外焦虑地走来走去，完全无法平静下来。盘珪禅师接见他后，僧人诉苦说：“也不知道为什么，我这个人天生非常急躁，脾气也很不好，我的老师想尽各种办法都无法改变我的个性，我自己也知道这个坏毛病非改不可，所以特地前来请求禅师的指引。”

盘珪禅师耐心听完后，回问：“嗯！既然你说这个急躁的毛病是天生的话，那现在能不能把它拿出来让我修理一下？”

僧人为难地说：“刚刚在院子里等禅师时，我怕禅师不肯见我，所以有一点急躁，现在禅师见了我，我也就不急躁了。”

盘珪禅师笑了笑说：“那可见你这急躁的毛病并不是天生的，只是碰到不顺心的事情时才会这样。”

盘珪禅师才说完，僧人马上应和：“师父说的是，我这人做事很讲求付出多少就要得到多少回报，如果没有的话就会让我很生气；或者我做这么多，别人做那么少，我也会很不高兴。”

盘珪禅师点头说：“容易急躁的原因，主要是自私的心理在作祟，当外在的事物不顺你意时，你急于想改变它，所以才会感到急躁。如果凡事肯退让一步，用开放的心面对所有的遭遇，遇到不如意时，也不要执着或抱怨，接受一切，自然而然就不会急躁了！”

经盘珪禅师这么一开示，僧人顿时领悟过来，心念一转，整个人就变得开阔起来，不再处处和人斤斤计较，也就不再急躁了。

盘珪禅师虽然备受大家的尊崇，但还是不免有人会来捣乱。有一回，盘珪禅师对外讲经时，挤得水泄不通的人潮，占满了法堂，有的人还被挤到外面，但大家都很有默契地不发出一点儿声音，耐心地等待禅师说法。

就在盘珪禅师要开口时，忽然群众中冒出一个声音：“盘珪，我知道很多人都很敬仰你，但是我就是来告诉你，很遗憾，在今天的群众中，有人不服你！”

在一片沉默声中，这个反对的声音特别响亮，形成一种难堪的氛围，所有的人都被吓了一跳，等着看接下来会发生什么事。

被人这样没礼貌的挑战，盘珪禅师却一点儿都不动怒，还是好脾气地反问：“哦，是谁不服我呢？”

“就是我，我不服你！”两旁的人群自动分开一条线，直到看到那说话的人为止，他和盘珪年纪相当，满脸写着骄傲的神情，直视法座[1]上的盘珪禅师。

盘珪禅师则满脸祥和地看着他，又问：“你是要和我讨论佛法吗？那请你过这里来吧！”

那人便昂首阔步、自以为了不起地走到盘珪禅师面前，这时，盘珪禅师向他低头一笑，谦和地说：“感谢你服了我！”

众人一看，都忍不住笑了，那人感受到盘珪禅师的魅力，自知不如，原本高傲冷漠的表情，也放下来，甚至还露出了笑容，最后，他向盘珪禅师深深一鞠躬说：“禅师的智慧，我真的服了！”

接着，所有的人都凝神静听盘珪禅师说法，一字一句渗入每一个人的心中，就连周围春天盛开的花朵和伸展的树枝，也都融入其间了。

❶ **法座**：说法所用的座位，通常比较高。

我要变成一头水牛！

大师密码 Optimistic 开朗

沉默真的是金吗？沉默久了，会不会就被遗忘、被淘汰了？

唐朝的普愿自从十岁那一年，向父母跪请出家后，直到三十岁才领受完整的出家戒。二十年默默的自我磨炼应该够久了，他在离开马祖道一禅师后，竟然还将人生的黄金三十年，通通都留在了南泉山，三十年内足不出山。

如果你以为普愿是因为能力不佳、拙于言辞，所以干脆闭门谢客，那可就错了！自从马祖道一有次考问他禅法，反被将了一军后，大家就看出了普愿的功力，再也不敢随便考他了，可见得普愿的智慧有多高深！

虽然普愿禅师带领弟子远离尘世，在南泉山以耕田自食其力，但大家还是把南泉山当成心灵圣地，争相参访，随他出家的人数多达九百多人，超越了他的老师马祖道一！

小档案 普愿

- 国籍：中国
- 别称：普愿和尚
- 专长：禅法
- 影响：留下许多脍炙人口的公案故事
- 事迹：以开朗的心，帮许多弟子解开烦恼结

有一个和尚很仰慕南泉山的普愿禅师，特地跑去禅师隐居三十年的南泉山，想要侍奉他，看能不能得到开悟。

他历尽千辛万苦来到山下，只见整座山被浓雾笼罩，通往山上的路看都看不清楚，更别说是要找到心目中尊贵的禅师了。

迷了路的和尚心里很着急，这时他看见一位头戴斗笠、其貌不扬的老先生，手拿着镰刀正在田里割草，于是跑去问他：“请问一下，往南泉山的路怎么走？我想找普愿禅师。”

老先生抬起头看看他，突然举起手中的镰刀说：“这把镰刀卖你三十块。”

和尚以为碰到一个耳聋的老头儿，误会了自己的意思，又更大声地问：“我不买镰刀，我是问您往南泉山的路怎么走？”

老先生还是没听懂，拿着镰刀比画来比画去，笑着又说：“我这把镰刀真的很好用，能把所有的杂草割得干干净净。”

和尚摇摇头："我是问路，不是要买镰刀。"说完自言自语地离去："路没问到，还跟一位没见过世面的乡下老头儿浪费了半天口舌，白白浪费了我的时间。"

他往前走了一阵，发现一条小山道，心想这大概就是了，便沿路走去，果然来到一座禅寺前。和尚高兴地走到禅寺里问："请问普愿禅师在吗？"

一名小徒弟回答："师父在山下割草，你上山时没见到他吗？"

和尚怔了一下，心想："不会是刚刚那位要卖我镰刀的老先生吧？"

这时，后面传来一阵脚步声，小徒弟喊了一声："师父来了！"

和尚回头一看，正是刚刚那位老先生，赶紧双手合十说："我真是有眼无珠，不知道您就是普愿禅师。"普愿禅师摘下斗笠，露出光头，这下和尚看得更清楚了，知道自己真是有眼无珠。

普愿开朗地笑问："我不过是一位没见过世面的乡下老头儿，你来找我做什么？"

没想到自己随便批评的话被普愿禅师听到了，和尚顿时面红耳赤起来："我是专程来向师父请教禅理的，还请您原谅我的愚昧。"

普愿禅师反问他：“禅理？我刚刚已经告诉你啦！”

这句话说得和尚一头雾水：“刚刚？”

普愿禅师又说：“是啊！刚刚你问我南泉山怎么去？不就是问解脱[1]之路吗？我回答你说，这把镰刀好用，可以割去杂草，杂草不是烦恼吗？只要你斩除烦恼，心田不就一片开朗清明了吗？我好心告诉你，你却理也不理我，掉头就走！”和尚终于明白这番话了，他跪在地上叩头拜谢起来。

[1] **解脱**：指从烦恼中得到解放，不再有烦恼。

童年时就曾拜普愿为师的赵州，想到好久没看到师父了，特地前来向普愿禅师求道，他前脚才踏进门，普愿禅师后脚就要跑了，只匆匆丢下一句：“你来得不巧，我现在要到田里干活去了，没空和你说话，你如果肚子饿了，就自个儿做饭吃，记得顺便帮我送一份。”说完，就自顾往田里走去，只留下赵州一人。

赵州眼睁睁地看着普愿禅师就这么走远了，也没去追，拍了一下头，便跑去厨房一边唱歌一边做饭吃，吃饱以后，晒着春天温暖的太阳舒服地睡着了，竟然忘记要给师父送饭了。干了一天活儿的普愿，等不到赵州送来的饭菜，又饿又累地拖着疲惫的身躯回来时，却见赵州正在睡大觉，他却一点也不生气，反而开心地笑说："原来是睡着了。"说完，跟着躺在一边休息，并没有吵醒他。

后来又有一次，所有的僧人都在厨房择菜时，忽然从僧堂❷传来赵州的大叫声：“失火啦！快来救火啊！”

众人慌张地丢下手中择到一半的菜叶，每个人提起一桶水快速冲到僧堂，只见僧堂内冒出浓浓的烟，大家要打开僧堂的门准备灭火时，却发现门被赵州从里面锁死了，所有的师兄弟都呆立在原地，心里不约而同地想：“这个赵州是怎么回事，叫我们来救火，却把自己关在火场里，有这种笨蛋吗？”

❷ **僧堂**：僧人禅修生活的堂舍，为禅寺最重要的地方。

其中有人赶忙对着僧堂内大喊："赵州，开门啊！你开门我们才能进去救火呀！"但赵州却没回应，其实他是故意把自己关在火宅中，他希望师父普愿禅师能够趁这个机会给自己开示。

面对这种情景，一语不发的普愿禅师并没怪徒弟在危险关头还来捣乱，反而不慌不忙地从身上掏出僧堂的钥匙，从窗口丢进僧堂内，意思是告诉赵州：自己的门要自己开，只有自己能救自己，别人是救不了你的。

聪慧的赵州一看到师父丢进来的钥匙，当即明白了师父的用意，立刻用钥匙把门打开，笑嘻嘻地说：“师父，我得救了！”只是话还没说完，迎面而来的却是一桶桶师兄弟们泼进僧堂救火的水，弄得他一身湿。

普愿禅师点点头，表示赞许：“这样你真的彻底得救了。”一旁已经灭了火的众僧看着赵州狼狈的样子，都笑得乐不可支了。

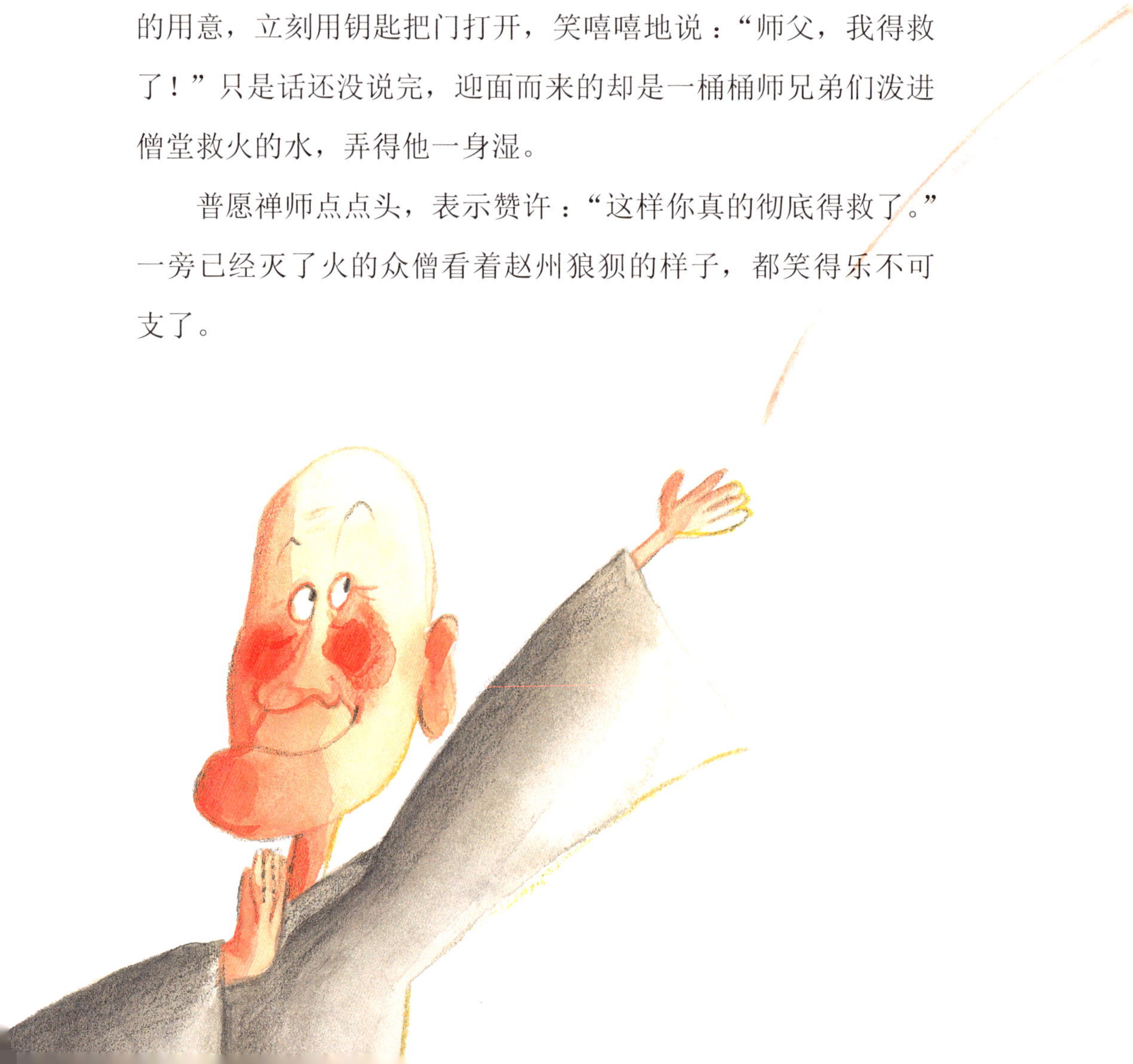

普愿禅师年纪大了，算一算来日也不多了，是该跟弟子交代一些身后事了，一名弟子舍不得师父即将离去，便问他说：“师父，您过世后要投胎去哪里？”他心想：以师父的修行，应该能洒脱地来去自如，要当什么都可以随他的自由。

普愿禅师很自然地回说：“那就去山下当一头水牛好了！”

弟子一听，赶紧请求：“那我也要跟您一起去，好不好？”

普愿禅师看着弟子虔诚的表情，摸摸他的头说：“你如果要跟我去的话，要记得自己带一把草来。”

弟子傻傻地搞不清楚原因：“为什么？”

普愿禅师笑答：“因为我怕你的修行还不到家，当了水牛后就只顾着吃草，所有的修行功夫就忘得一干二净了。”弟子听后笑了一下，知道师父要自己现在加紧用功才是正事，而不要去管死后的事情。

对生死了无挂碍的普愿禅师，总是不被世俗的规范所限，常常以这种开朗的珠玑妙语，展现其独到的智慧，在日常中随机启悟弟子，所以连死后弟子都想要跟随他去当头水牛。